KU-161-687

L'auteur
Dominique de Saint Mars

Après des études de sociologie,
elle a été journaliste à *Astrapi*.
Elle écrit des scénarios
qui donnent la parole aux enfants
et traduisent leurs émotions.
Elle dit en souriant qu'elle a interviewé
au moins 100 000 enfants...
Ses deux fils, Arthur et Henri,
ont été ses premiers inspirateurs!
Engagée dans les causes contre la maltraitance
et la souffrance psychique,
elle est aujourd'hui marraine de l'Œuvre Falret.
Prix de la Fondation pour l'Enfance.

L'illustrateur
Serge Bloch

Cet observateur plein d'humour
et de tendresse est aussi un maître
de la mise en scène.
Tout en distillant son humour généreux
à longueur de cases, il aime faire sentir
la profondeur des sentiments.

Ainsi va la vie

Max est fou de jeux vidéo

Dominique de Saint Mars

Serge Bloch

Série dirigée par Dominique de Saint Mars

Imprimé en Italie
ISBN : 978-2-88445-063-8

DZING
TIP TIP TIP

iiiiiK!
Tip
Tip
Tip
Tip
Tip

BUS
LES POTINS
POURQUOI IL FAUT DIRE NON
LES ÉCHOS
C'EST OUI, BIEN SÛR

Moi, j'ai fini X *Game* en 27 minutes sans utiliser de continu.
Normal, t'es un pro, mon vieux !
Peut-être, mais moi, j'ai trouvé le nuage magique et j'ai attaqué le vaisseau terrien.
Ouais, c'est la tactique classique.

Je l'ai vu dans la boutique. Et si on allait voir s'ils ont reçu les jeux stratégiques ?
Mon cousin, il a Pollution World. Un super graphisme en 3D.
T'es d'accord, Max ? On y va ?

WINDS
SPLATCH
PROUT!
STAR
Vous en vendez d'occasion ?
C'est super cher.
MATCH

Bon, je te le prête
jusqu'à jeudi, mais
si tu me le perds, tu me
le repaies...
T'inquiète.
J'y ferai gaffe comme
si c'était le mien.
TOPE
TOPE

DZIM
TIP
TIP
TIP
WOUAF! WOUAF!

OUAH?!
TIP TIP

Moi, je veux la télé ! C'est l'heure de « Mon cœur à Santiago ».
Ton feuilleton débile !

Au moins, c'est la vraie vie, avec des sentiments, et c'est drôle ! Toi, tu n'aimes que la guerre.
Toi, tu subis, moi, j'agis... Je suis un héros.
DZOUING
TATATATA
DZOUINN

AH ! Tu vas voir si je subis !
TIP TIP TI

NON!!
CLIC!

Espèce de criminelle! Tu m'as fait perdre au moins six vies!
Vidéo drogué!

Tu es débile,
t'es une victime, tu ne
grandiras jamais !

Je vais réussir... Aaah !
La statue se transforme
en pieuvre effrayante !
TIP
TIP
TIP

GLAGLA!...
Ouh là là,
elle me fait peur,
cette pieuvre...

OUUAAH!
MAMAN!

Max, qu'est-ce qu'il y a ?

Pompon m'a fait peur ! Mais laisse-moi, tu me déconcentres.
DZING
TIP
TIP
TIP

J'en ai assez de ce jeu idiot ! Je vais te l'interdire.

J'irai jouer chez Tom !
Et pourquoi c'est toi qui choisirais si ça me plaît à moi ? Tu as bien tes mots croisés, toi !
TIP TIP TIP

Tu ne fais plus rien d'autre! ...
Tu ne lis plus! ...
Tu ne regardes plus les émissions
sur les animaux! ...
Tu ne joues plus avec Lili,
tu es tout le temps énervé
et tu ne fais plus de sport!

Avec cette machine, tu n'es plus avec nous !
De toute façon, tu n'as jamais le temps de jouer avec nous.

Maman, Max, voilà papa qui revient de sa montagne!

Alors, c'était bien, papa ours?
TIP
TIP
TIP

On a réussi une première, le Nez du Géant!
Moi aussi! Dans le 7e monde, j'ai balancé un maximum de poings d'argent à ED 209 et je l'ai éclaté.
TIP
TIP
TIP

Je parie que
tu n'y arriverais
même pas ! Les adultes
sont nuls ! Question
de génération !

LE SOIR...

TIP TIP TIP...

TIP
TIP
TIP

À gauche...
au centre...
à droite...

Non, pas comme ça, à gauche... avec le pied, trop haut, ah, t'es mort, évidemment !
Mais qu'est-ce que tu fais là ?
TIP TIP

Tu te débrouilles bien...
mais évidemment, tu ne connais pas les codes !
Bon, alors viens m'aider au lieu de discuter !
TIP TIP TIP

BIEN PLUS TARD...
Vas-y, Pa ! Maintenant !
Oh là là, je vais me faire avoir, oui, non, je n'y arrive pas !
TIP TIP TIP

Vite ! vite !
Attends, je vais
te le faire !
Hé,
c'est ma partie.

De toute façon, on n'a plus de vies!
Dur! ...

Super aventure, hein Pa! ...
Oui, mais ce n'est pas la vraie vie!

Je vais t'emmener en montagne... pour de vraies aventures !

Et moi, je te donnerai des leçons... T'es encore un peu nul...
Mais après, tu ne me piqueras pas mon jeu tout le temps ?

Et toi...

Est-ce qu'il t'est arrivé la même histoire qu'à Max?
Réponds aux deux questionnaires...

Aimes-tu les jeux vidéo parce que tu es content de gagner et de toujours améliorer ton score?

Arrives-tu à t'arrêter de jouer ou as-tu des trucs pour gérer ton temps?

Est-ce que ça t'énerve ou ça te fatigue les yeux si tu joues plus d'une heure et trop près de l'écran?

Tes parents t'interdisent-ils de jouer aux jeux vidéo? Est-ce que ça te donne encore plus envie d'y jouer?

Joues-tu aux jeux vidéo parce que tu es souvent seul? Préférerais-tu faire plus de choses avec tes parents?

Penses-tu que la rapidité et l'habileté sur l'écran peuvent servir à certains métiers : pilote, chirurgien?

Trouves-tu les jeux vidéo ennuyeux et répétitifs?
Préfères-tu d'autres jeux, la télé, le bricolage?

Penses-tu que ça t'empêche de lire, de travailler, de faire de la musique ou du sport?

Tu n'as pas de jeux vidéo car ils sont trop chers ou parce que tes parents sont contre?

Penses-tu que ce sont des jeux
seulement pour jouer tout seul?

Aimerais-tu savoir comment on programme un jeu
et comment il fonctionne?

As-tu été passionné de jeux vidéo
et, un jour, en as-tu eu assez?